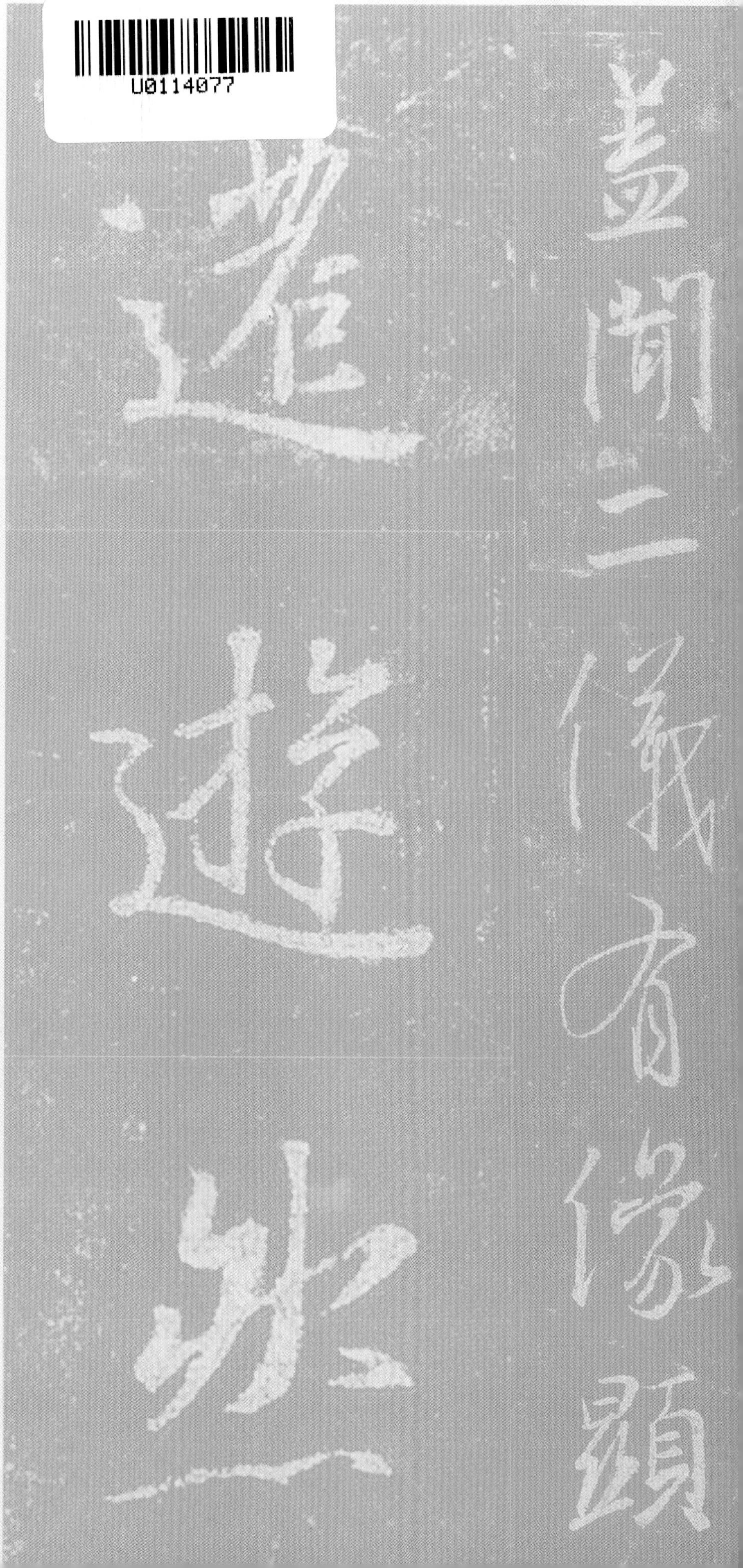

名家教你写

视频精讲版

集王羲之书圣教序

◎翁志飞 编

中原出版传媒集团
中原传媒股份公司
河南美术出版社
·郑州·

图书在版编目（CIP）数据

集王羲之书圣教序 / 翁志飞编. — 郑州：河南美术出版社，2023.2

（名家教你写：视频精讲版）

ISBN 978-7-5401-6005-0

Ⅰ. ①集… Ⅱ. ①翁… Ⅲ. ①行书－碑帖－中国－东晋时代 Ⅳ. ①J292.23

中国版本图书馆CIP数据核字（2022）第191786号

名家教你写　视频精讲版

集王羲之书圣教序

翁志飞　编

出 版 人　李　勇

责任编辑　王立奎

责任校对　王淑娟

装帧设计　张国友

出版发行　河南美术出版社

　　地　　址　郑州市郑东新区祥盛街27号

　　邮政编码　450016

　　电　　话　0371-65788152

印　　刷　河南瑞之光印刷股份有限公司

经　　销　新华书店

开　　本　889mm×1194mm　1/16

印　　张　4.25

字　　数　53千字

版　　次　2023年2月第1版

印　　次　2023年2月第1次印刷

书　　号　ISBN 978-7-5401-6005-0

定　　价　36.00元

出版说明

《集王羲之书圣教序》，立于唐咸亨三年（672）十二月，由诸葛神力勒石，朱静藏镌字。碑高315.3厘米，宽141.3厘米。行书30行，行80余字。原碑今已断裂，现存西安碑林博物馆。

《集王羲之书圣教序》，内容包括唐太宗李世民为玄奘翻译的佛经写的一篇序以及唐高宗李治所写的附记，之后附有《心经》一篇。弘福寺和尚怀仁奉敕从唐内府所藏王羲之真迹及民间王字遗墨中集字，历时20余年，集成王羲之行书碑。

王羲之，字逸少，琅邪临沂人，后移居会稽山阴（今浙江绍兴）。官至右军将军、会稽内史，人称王右军。王羲之正书学钟繇，草书学张芝，又博采众长，创造出一种妍美流便、雄逸俊雅的新书风，对后世影响颇深，被誉为『书圣』。

此碑由于直接从唐代所存王羲之真迹中摹出，保留了其书原貌，因而被历代书法家视为临书典范。《集王羲之书圣教序》是唐人推崇王羲之书法的体现，也是众多集王羲之书法碑刻中最成功、最有影响力的一通。王羲之写字，遵法守律而合于自然。《集王羲之书圣教序》展现了王羲之行书之精华，收录单字最多，变化最为丰富，历来学书者无不奉其为圭臬。

《集王羲之书圣教序》中的字来自于王羲之的多种经典帖本。我们通过现存的王羲之的帖可以知道，王羲之是一帖一面目。将这么多规定内容的字搜集起来，并做到风格大致协调是非常困难的。怀仁采取了避免连带、字字分开的方法解决了这一难题。

全篇字字精雅飘逸，相映成趣。怀仁将王羲之的楷书、行书、草书杂糅其间，灵活运用，对后世书家尤其是当代书家具有重要的启示作用。作品中的结字新颖生动，平中见奇，开合有度，欹正相依，灵动多姿。

此作通篇大小、收放，字字变化，无有雷同。正如王澍所论：『魏晋人书，一正一偏，纵横变化，了乏蹊径。』这便是王羲之的大本事，能在书写的片刻之间，于笔下生出如此丰富的变化，并且一气贯注，自然和谐。古往今来，通法之极者，一人而已。王羲之的字高雅遒媚、气韵生动、格调高古，是千古学书者的典范。需要我们静下心来仔细琢磨、品味，感受它的美。

为方便书法爱好者学习，特邀请著名书法家翁志飞老师对全书进行临摹示范，并选取范字进行讲解。另外，运用了现代科技手段，制作成二维码，扫码即可观看讲解视频，以飨读者。

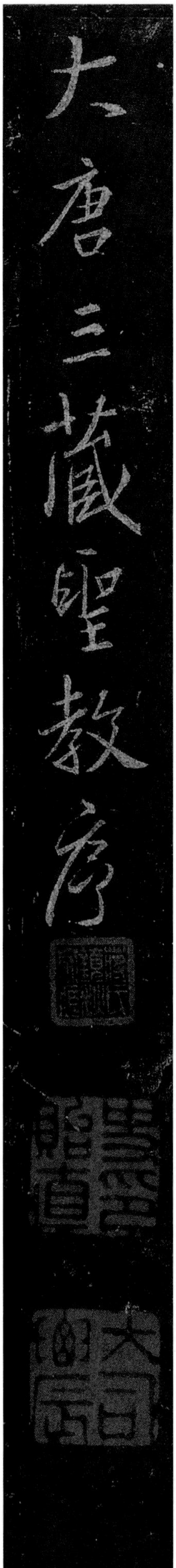

大唐三藏圣教序

太宗文皇帝制

弘福寺沙门怀仁集晋右

将军王羲之书

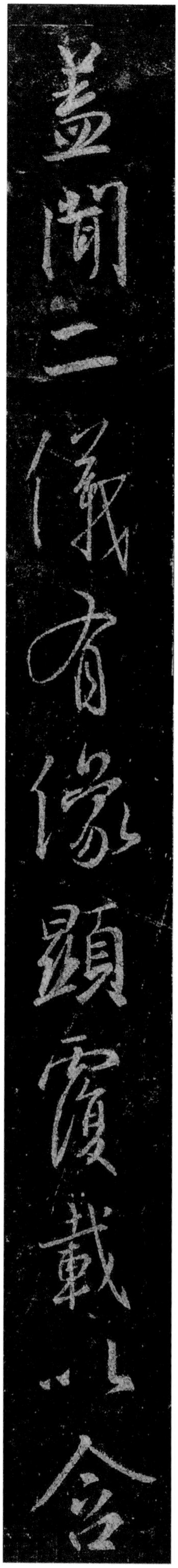

盖闻二仪有像显覆载以含

生四时无形潜寒暑以化物

是以窥天鉴地庸愚皆识其

端明阴洞阳贤哲罕穷其数

然而天地苞乎阴阳而易识

者以其有像也阴阳处乎天

地而难穷者以其无形也故

知像显可征虽愚不惑形潜

莫睹在智犹迷况乎佛道崇

虚乘幽控寂弘济万品典御

十方举威灵而无上抑神力

而无下大之则弥于宇宙细

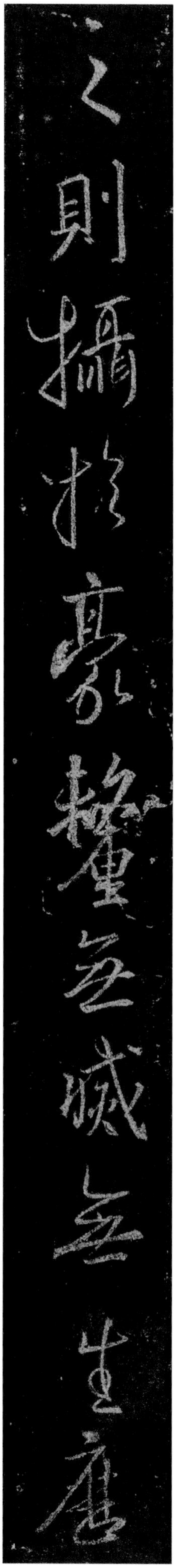

之则摄于豪厘无灭无生历

千劫而不古若隐若显运百

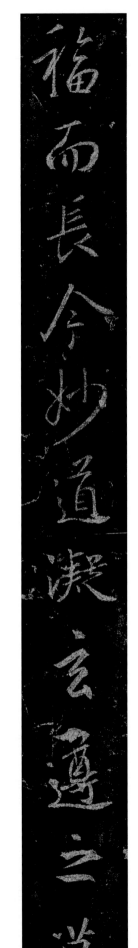

福而长今妙道凝玄遵之莫

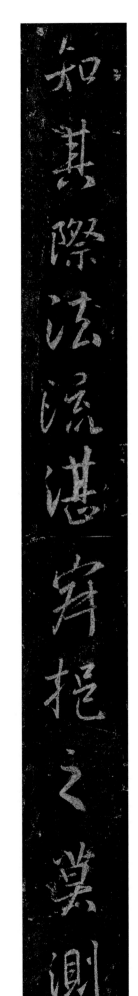

知其际法流湛寂挹之莫测

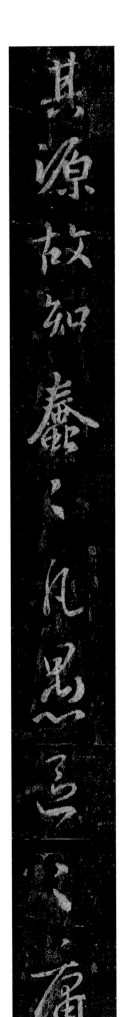

其源故知蠢蠢凡愚区区庸

鄙投其旨趣能无疑或者哉

然则大教之兴基乎西土腾

汉庭而皎梦照东域而流慈

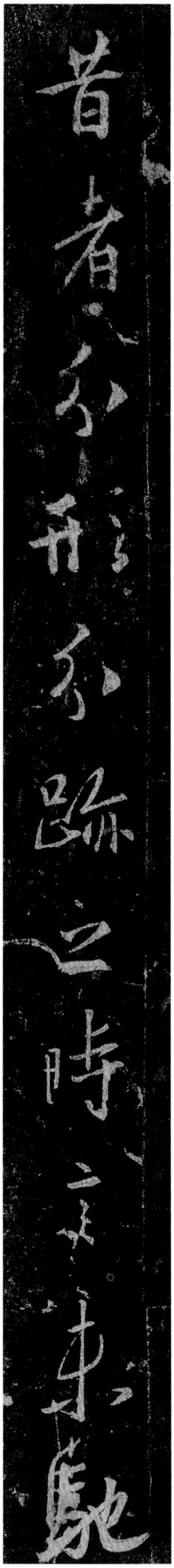

昔者分形分迹之时言未驰

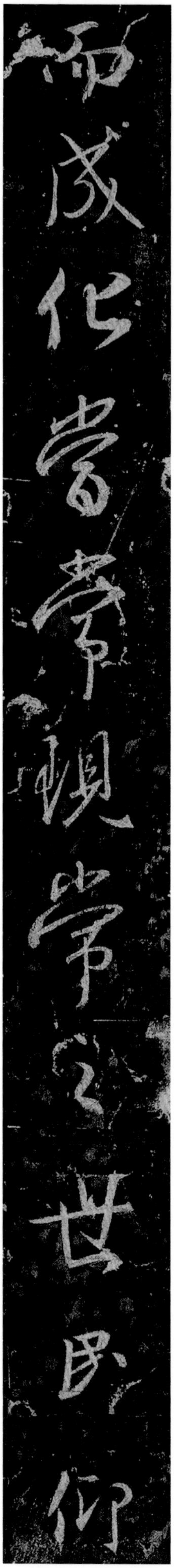

而成化当常现常之世民仰

德而知遵及乎晦影归真迁

仪越世金容掩色不镜三千

之光丽象开图空端四八之

相于是微言广被拯含类于

三途遗训遐宣导群生于十

地然而真教难仰莫能一其

旨归曲学易遵耶正于焉纷

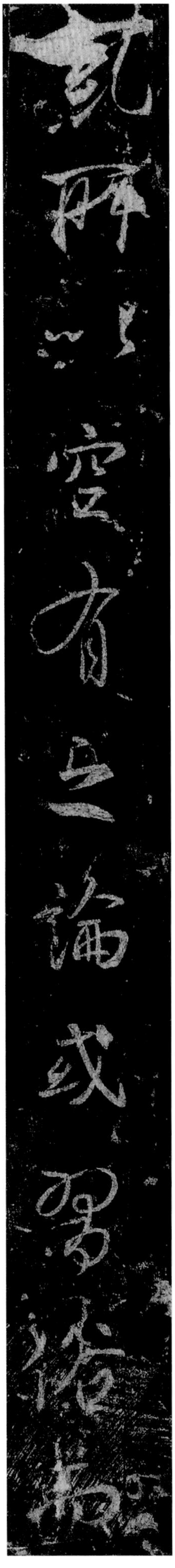

纠所以空有之论或习俗而

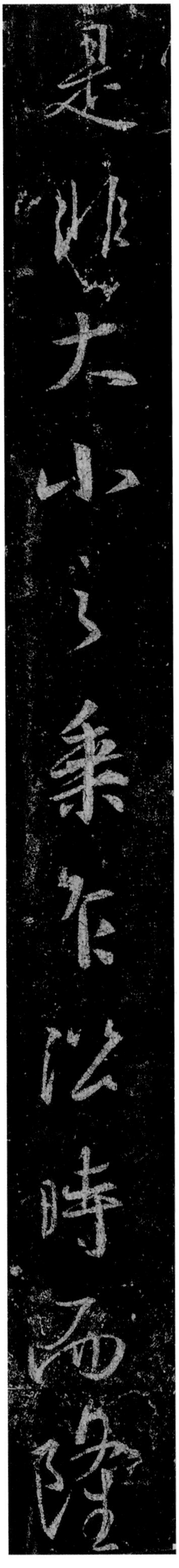

是非大小之乘乍沿时而隆

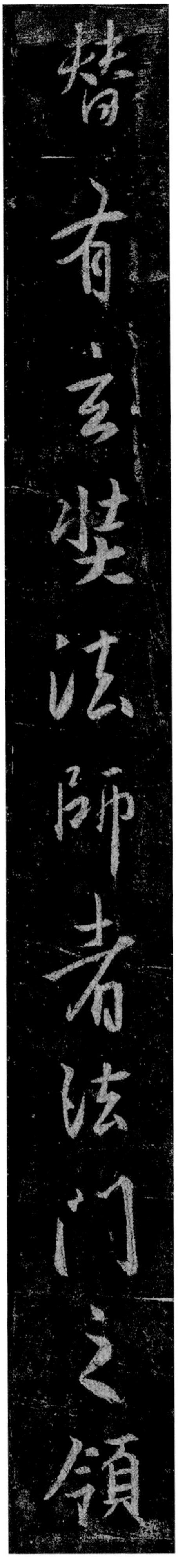

替有玄奘法师者法门之领

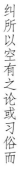

袖也幼怀贞敏早悟三空之

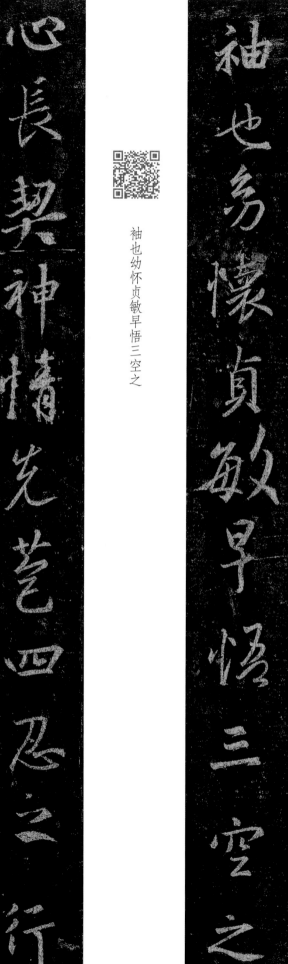

心长契神情先苞四忍之行

松风水月未足比其清华仙

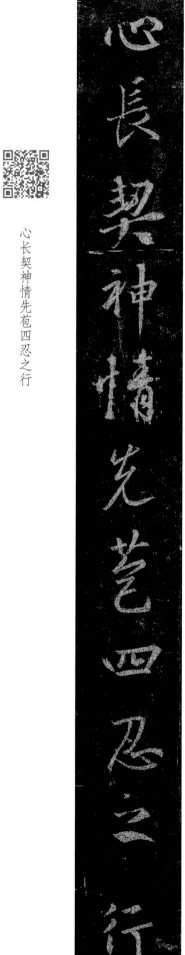

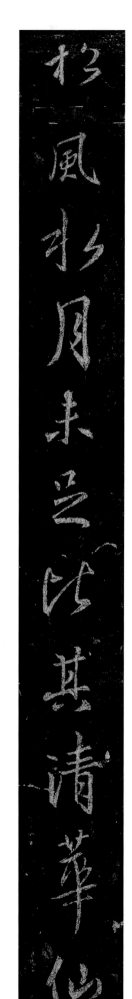

露明珠讵能方其朗润故以

智通无累神测未形超六尘

而迥出只千古而无对凝心

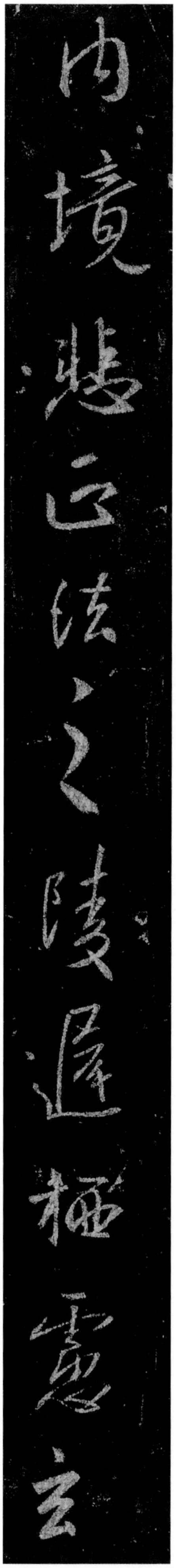

内境悲正法之陵迟栖虑玄

门慨深文之讹谬思欲分条拆

理广彼前闻截伪续真开兹

后学是以翘心净土往游西

域乘危远迈杖策孤征积雪

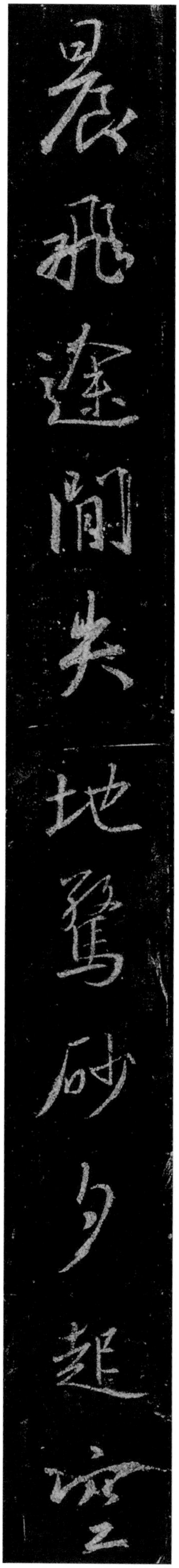

晨飞途间失地惊砂夕起空

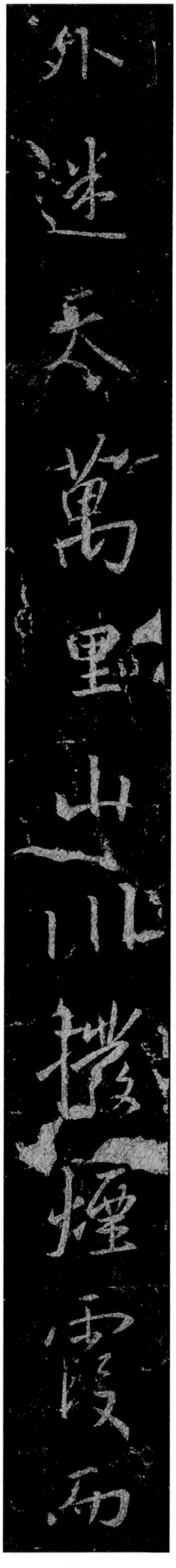

外迷天万里山川拔烟霞而

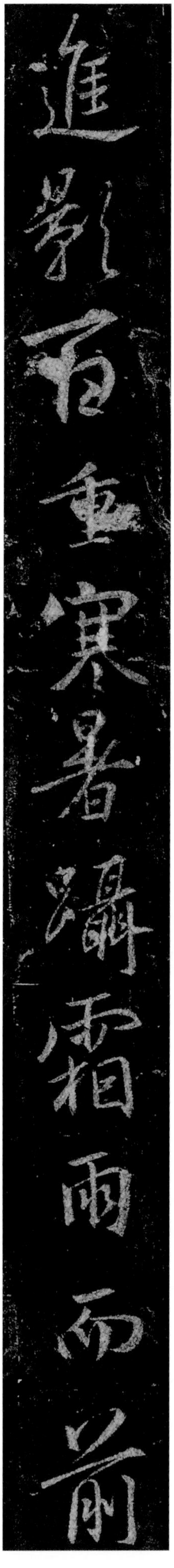

进影百重寒暑蹑霜雨而前

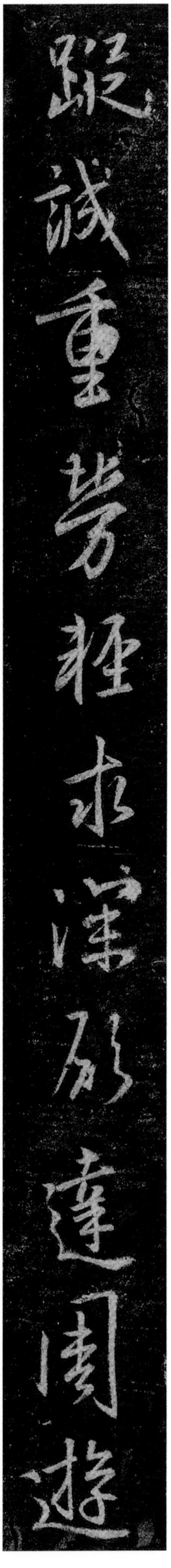

踪诚重劳轻求深愿达周游

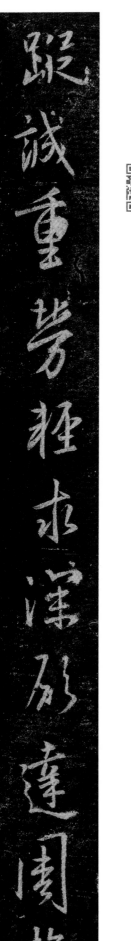

西宇十有七年穷历道邦询

求正教双林八水味道餐风

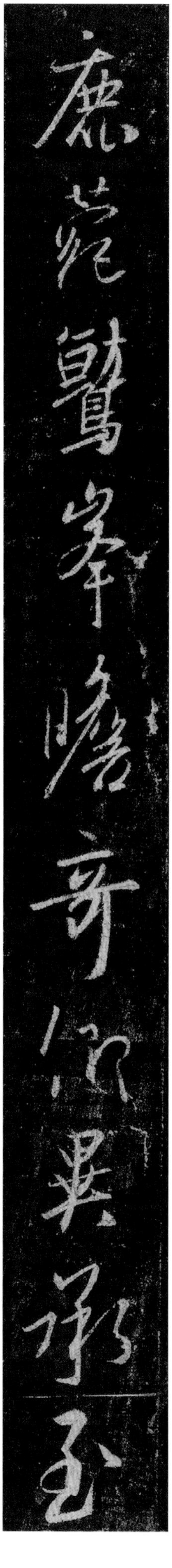

鹿苑鹫峰瞻奇仰异承至

言于先圣受真教于上贤探

赜妙门精穷奥业一乘五律

之道驰骤于心田八藏三箧

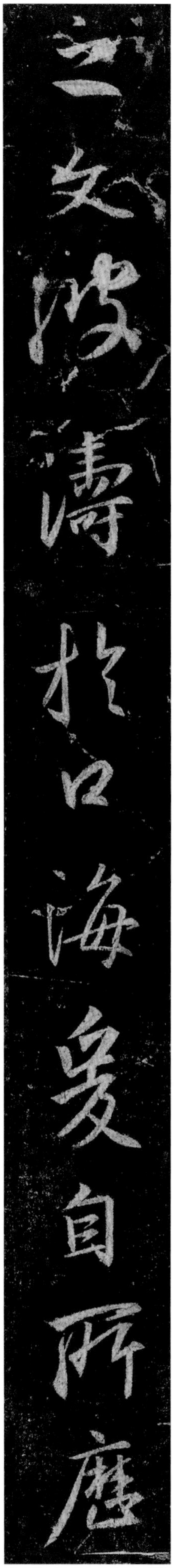

之文波涛于口海爱自所历

之国总将三藏要文凡六百

五十七部译布中夏宣扬胜

高岭云露方得泫其花莲

出渌波飞尘不能污其叶非

莲性自洁而桂质本贞良由

所附者高则微物不能累所

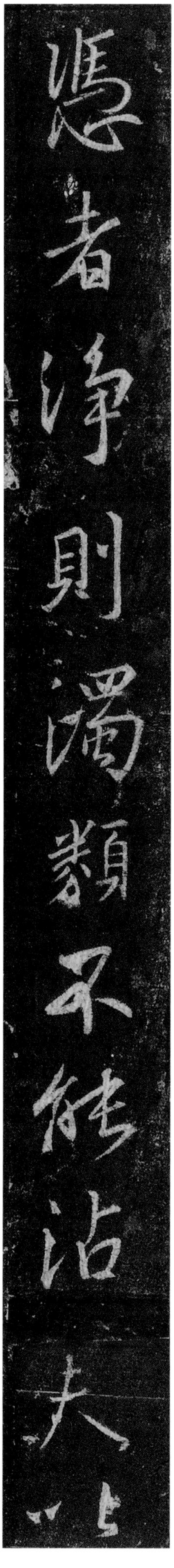

凭者净则浊类不能沾夫以

卉木无知犹资善而成善况

乎人伦有识不缘庆而求庆

方冀兹经流施将日月而无

穷斯福遐敷与乾坤而永大

朕才谢珪璋言惭博达至

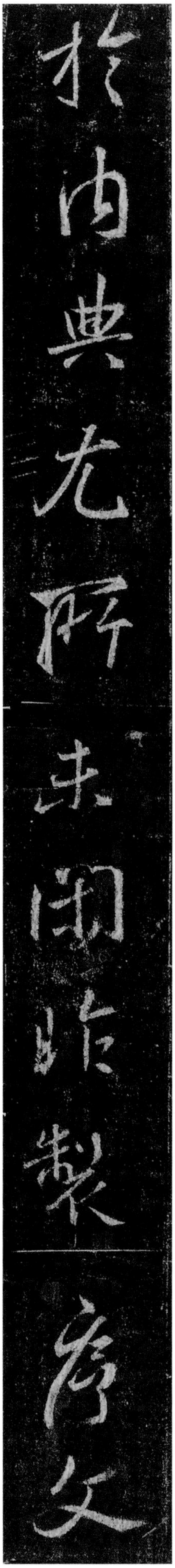

于内典尤所未闲昨制序文

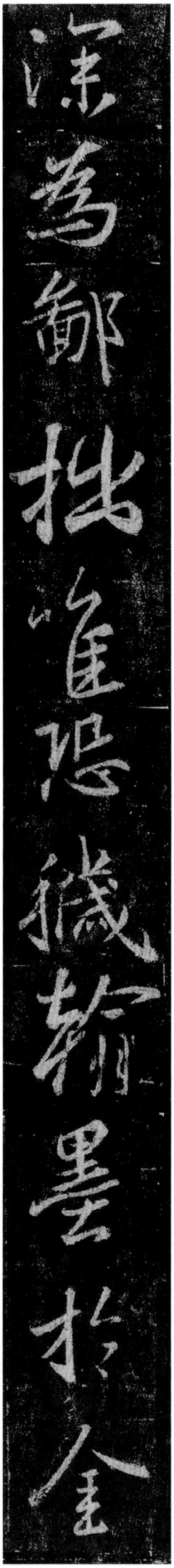

深为鄙拙唯恐秽翰墨于金

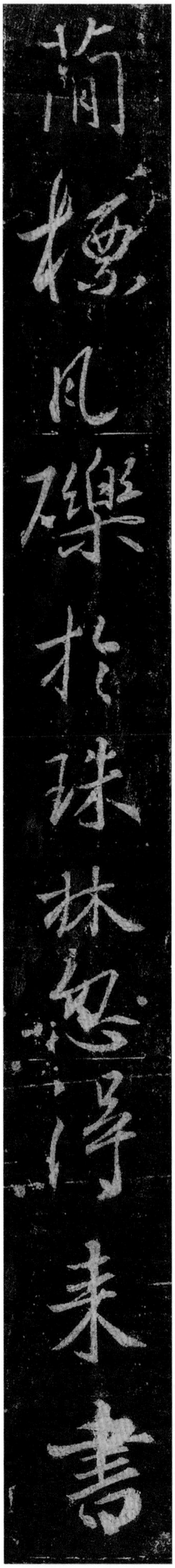

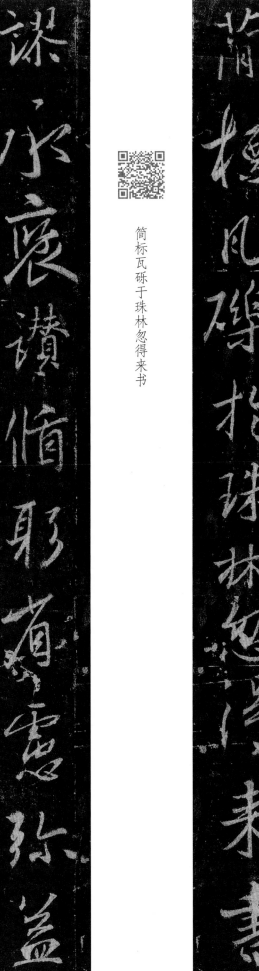

简标瓦砾于珠林忽得来书

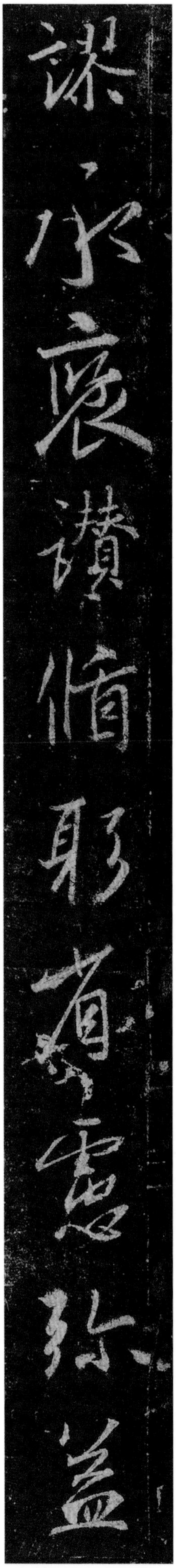

谬承褒赞循躬省虑弥益

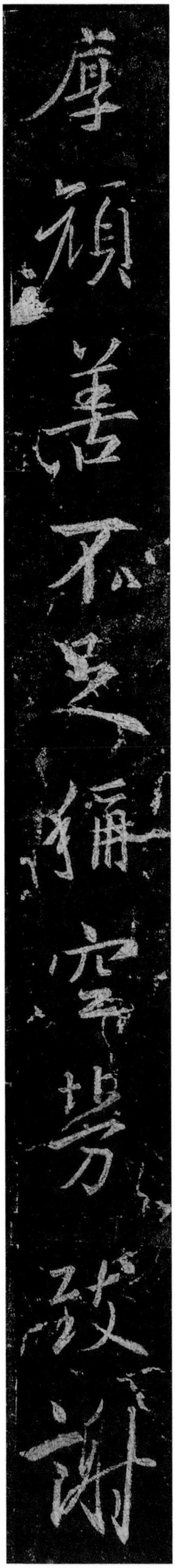

厚颜善不足称空劳致谢

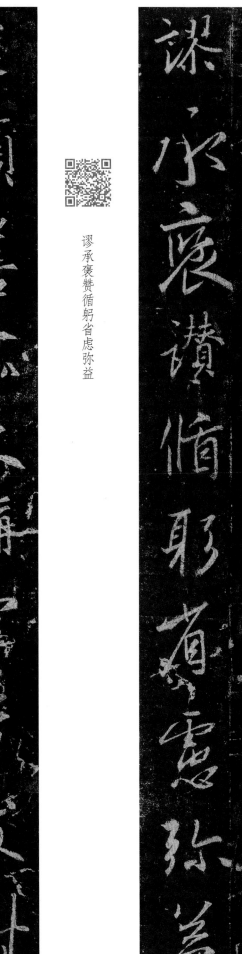

皇帝在春宫述三藏圣记

夫显扬正教非智无以广其

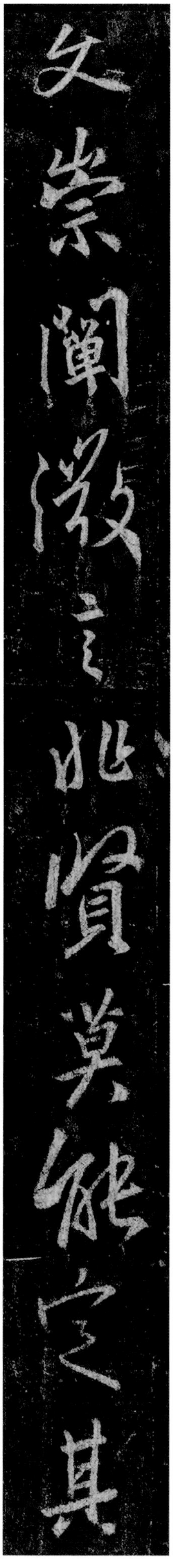

文崇阐微言非贤莫能定其

旨盖真如圣教者诸法之玄

宗众经之轨躅也综括宏远

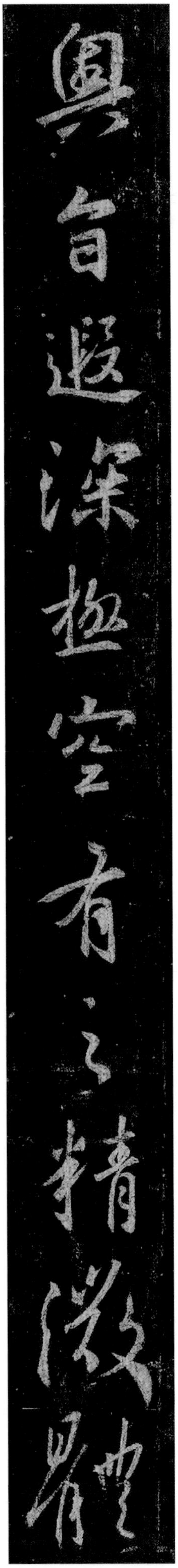

奥旨遐深极空有之精微体

生灭之机要词茂道旷寻之

者不究其源文显义幽履之

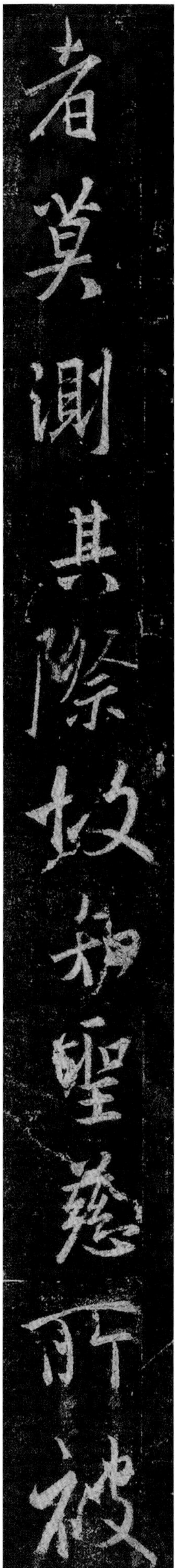

者莫测其际故知圣慈所被

业无善而不臻妙化所敷缘

无恶而不剪开法网之纲纪弘

六度之正教拯群有之涂炭

启三藏之秘扃是以名无翼

而长飞道无根而永固道名

流庆历遂古而镇常赴感应

身经尘劫而不朽晨钟夕梵交

二音于鹫峰慧日法流转双

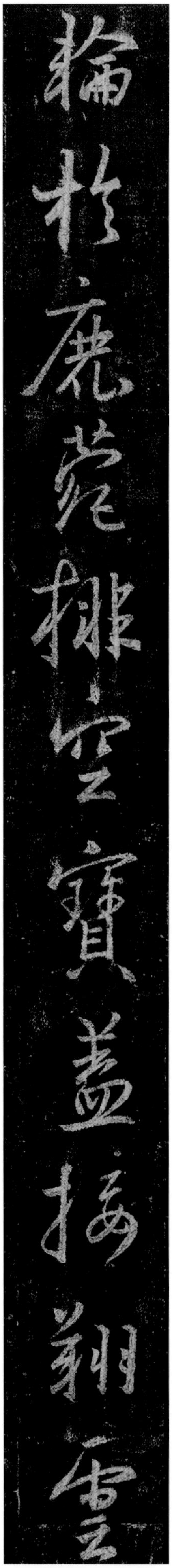

轮于鹿苑排空宝盖接翔云

而共飞庄野春林与天花而合

彩伏惟

皇帝陛下上玄资福垂拱

而治八荒德被黔黎敛衽而

朝万国恩加朽骨石室归贝

叶之文泽及昆虫金匮流梵

说之偈遂使阿耨达水通神

旬之八川耆阇崛山接嵩华

之翠岭窍以法性凝寂靡归

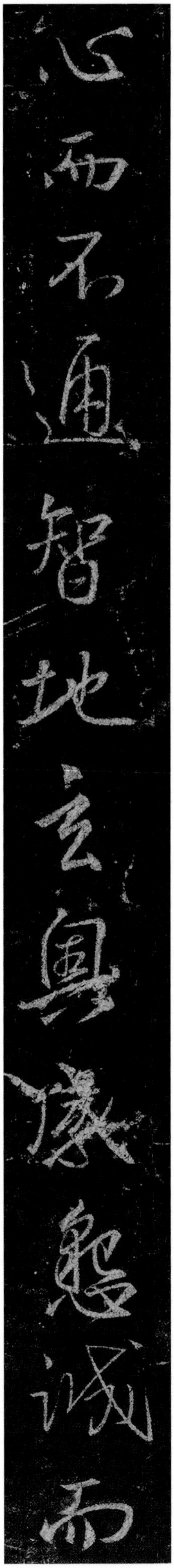

心而不通智地玄奥感恳诚而

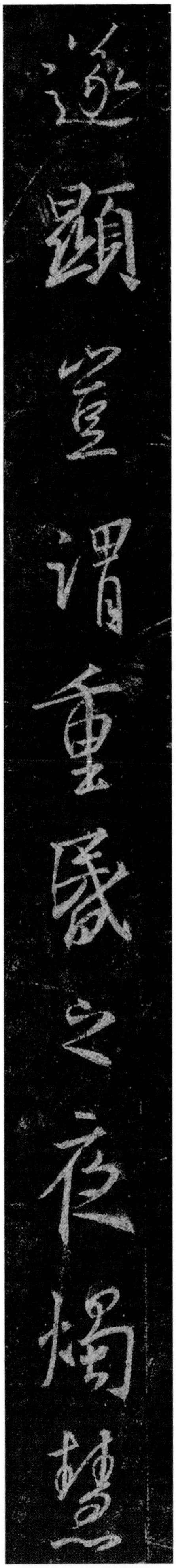

遂显岂谓重昏之夜烛慧

炬之光火宅之朝降法雨之

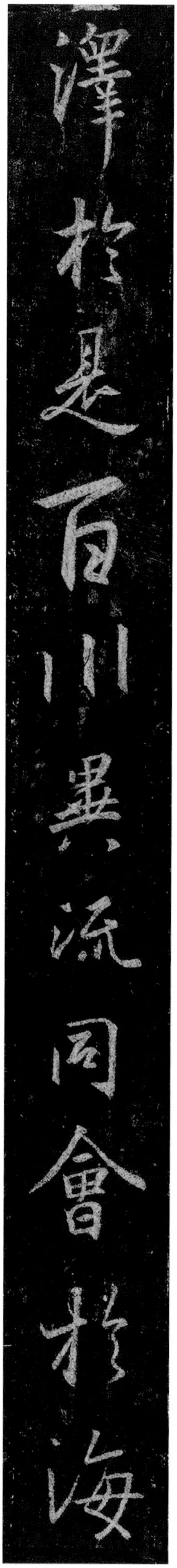

泽于是百川异流同会于海

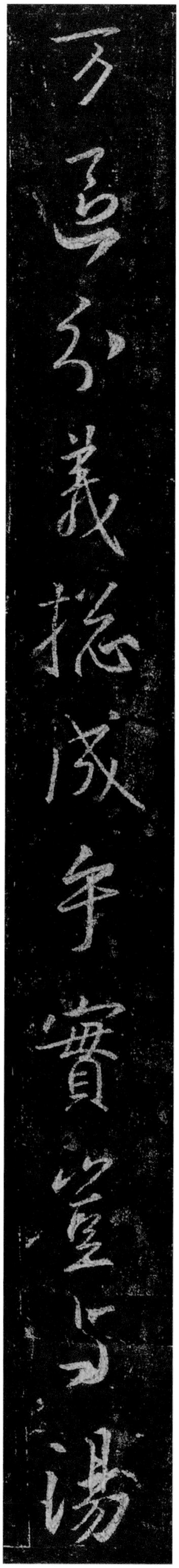

万区分义总成乎实岂与汤

武校其优劣尧舜比其圣德

者哉玄奘法师者夙怀聪令

立志夷简神清龆龀之年体

拔浮华之世凝情定室匿迹

幽巖栖息三禪巡遊十地超六

幽岩栖息三禅巡游十地超六

塵之境獨步迦維會一乘之旨

尘之境独步迦维会一乘之旨

隨機化物以中華之無質尋

随机化物以中华之无质寻

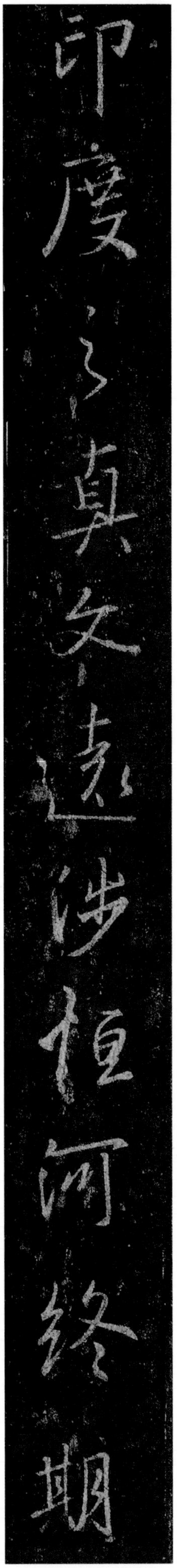

印度之真文远涉恒河终期

满字频登雪岭更获半珠问

道往还十有七载备通释典

利物為心以貞觀十九年二月

利物为心以贞观十九年二月

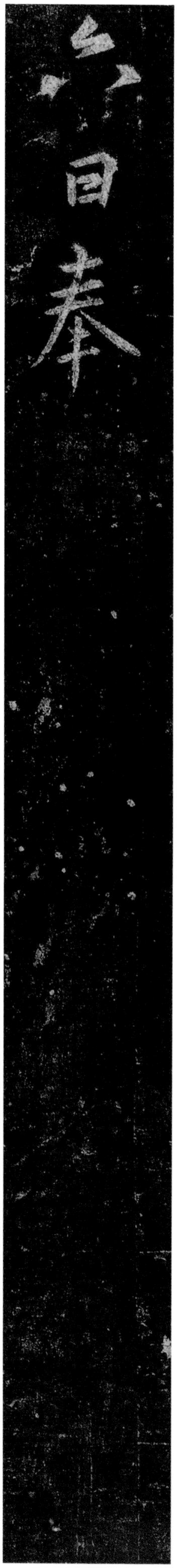
六日奉

六日奉

敕於弘福寺翻譯聖教要

敕于弘福寺翻译圣教要

文凡六百五十七部引大海之

法流洗尘劳而不竭传智灯

之长焰皎幽暗而恒明自非

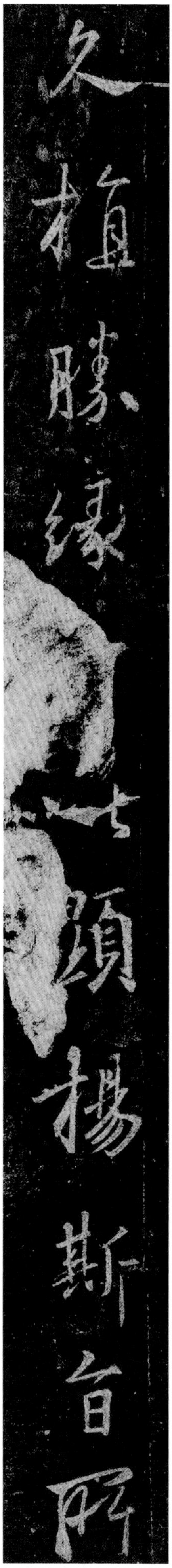

久植胜缘何以显扬斯旨所

谓法相常住齐三光之明

我皇福臻同二仪之固伏见

御制众经论序照古腾今理

含金石之声文抱风云之润

治辄以轻尘足岳坠露添流

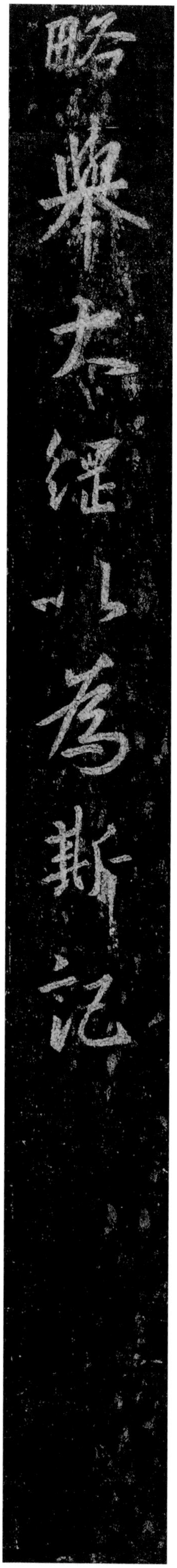

略举大纲以为斯记

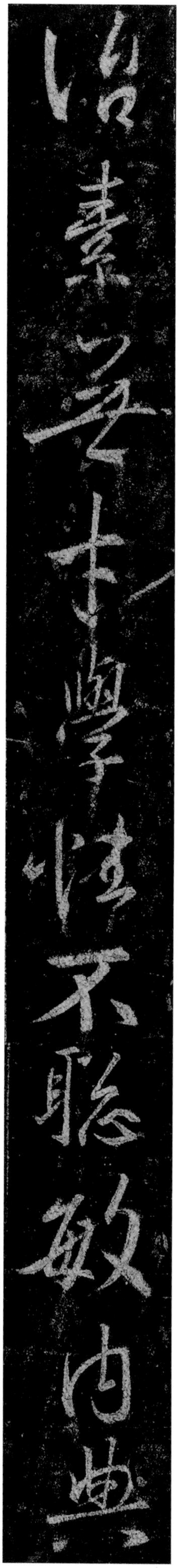

治素无才学性不聪敏内典

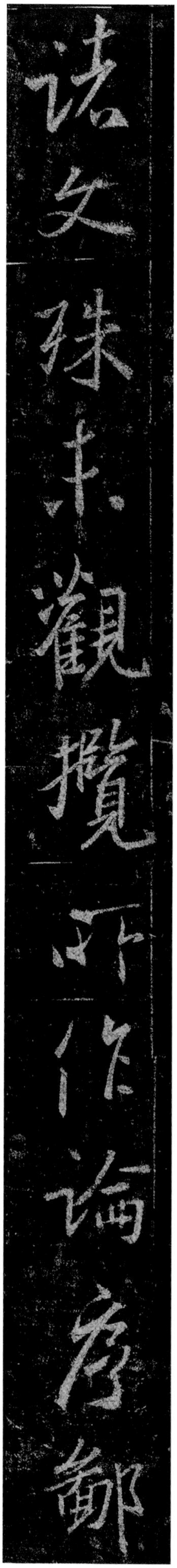

诸文殊未观揽所作论序鄙

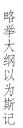

拙尤繁忽见来书褒扬赞

述抚躬自省惭悚交并劳

师等远臻深以为愧

贞观廿二年八月三日内府

般若波罗蜜多心经

沙门玄奘奉诏译

不净不增不减是故空中无

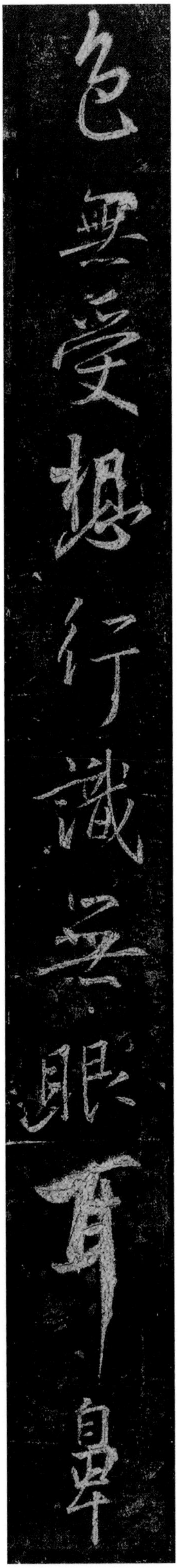

色无受想行识无眼耳鼻

舌身意无色声香味触法

无眼界乃至无意识界无无

明亦无无明尽乃至无老死

亦无老死尽无苦集灭道无

智亦无得以无所得故菩提萨

埵依般若波罗蜜多故心无

挂碍无挂碍故无有恐怖远

离颠倒梦想究竟涅槃三世

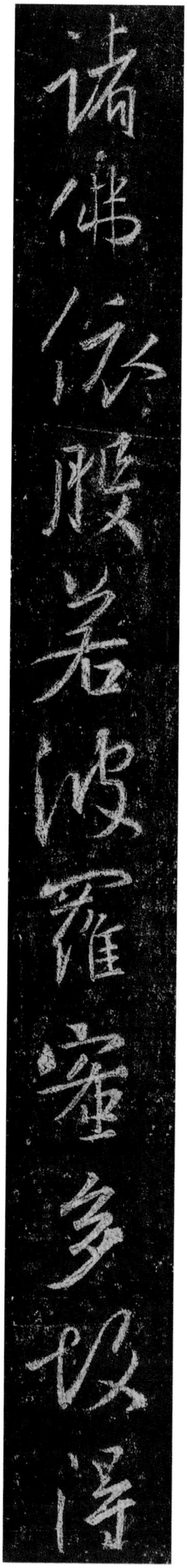

诸佛依般若波罗蜜多故得

阿耨多罗三藐三菩提故知

般若波罗蜜多是大神咒是

大明咒是无上咒是无等等

咒能除一切苦真实不虚故说

般若波罗蜜多咒即说咒曰

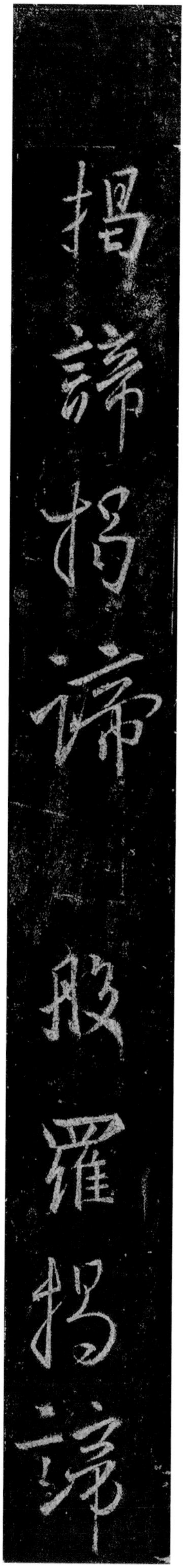

揭谛揭谛般罗揭谛

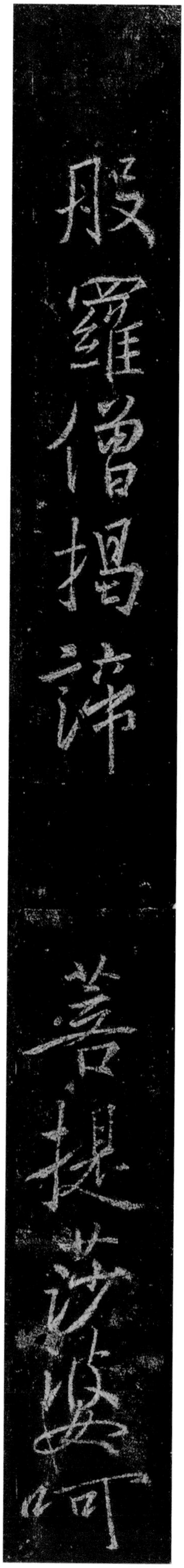

般罗僧揭谛菩提莎婆呵

般若多心经

太子太傅尚书左仆射燕国公

于志宁

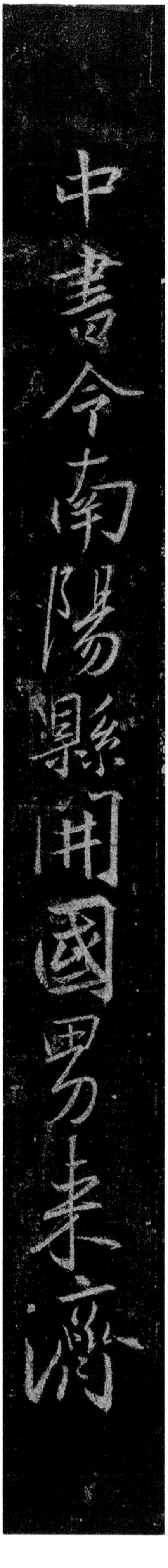
中書令南陽縣開國男來濟

中书令南阳县开国男来济

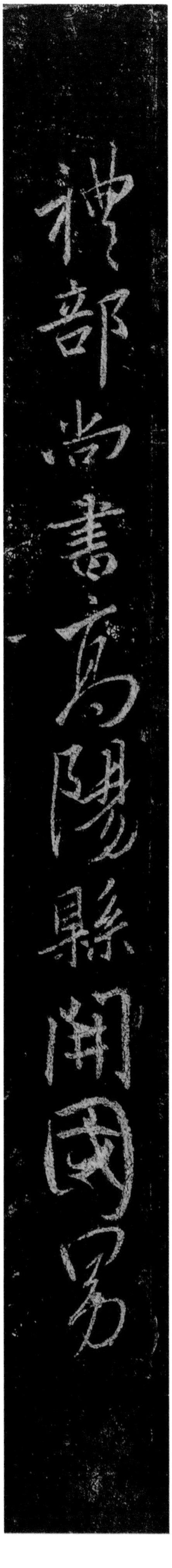
禮部尚書高陽縣開國男

礼部尚书高阳县开国男

許敬宗

许敬宗

守黄门侍郎兼左庶子薛元超

守中书侍郎兼右庶子李义

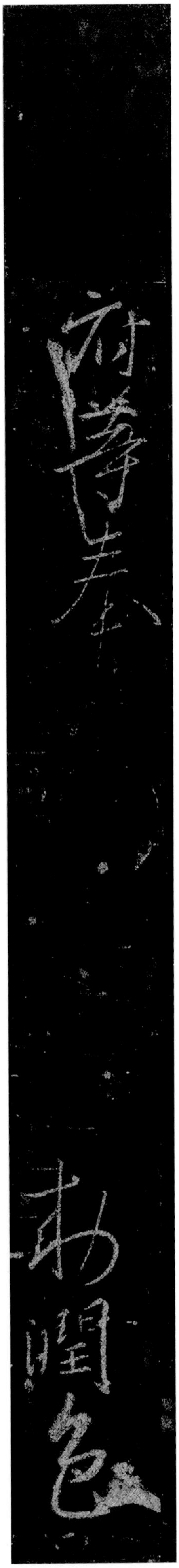

府等奉敕润色

咸亨三年十二月八日京城法侣建

咸亨三年十二月八日京城法侣建

文林郎诸葛神力勒石

立文林郎诸葛神力勒石

武骑尉朱静藏镌字

武骑尉朱静藏镌字

迁

是

揽

无

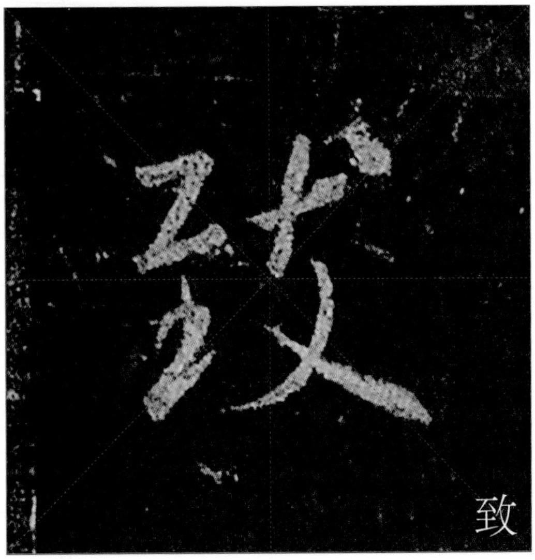
致

游

灵

胜

百

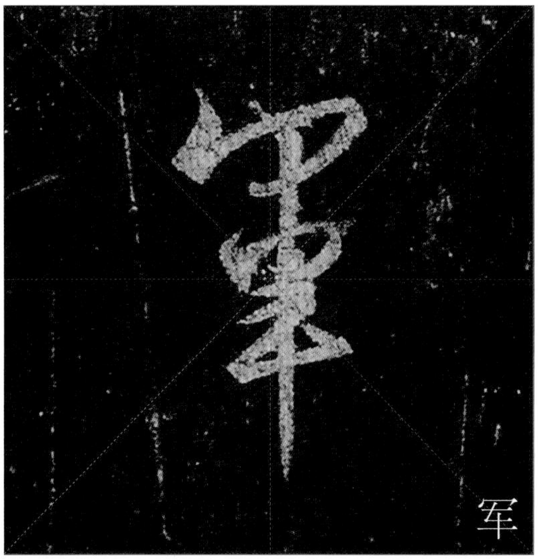
军

将

谢

类

书

异

举

遵

尽

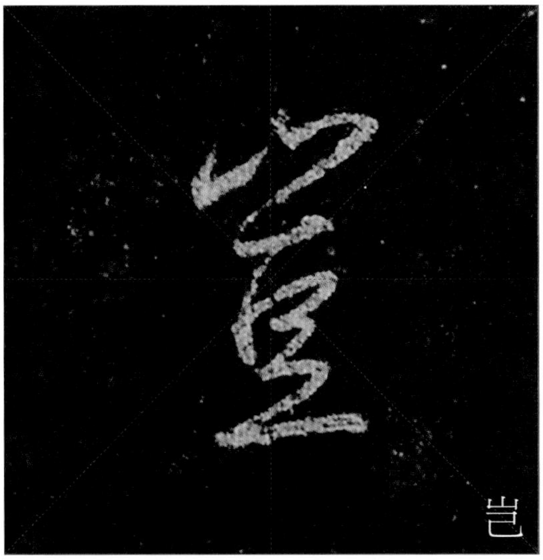
岂

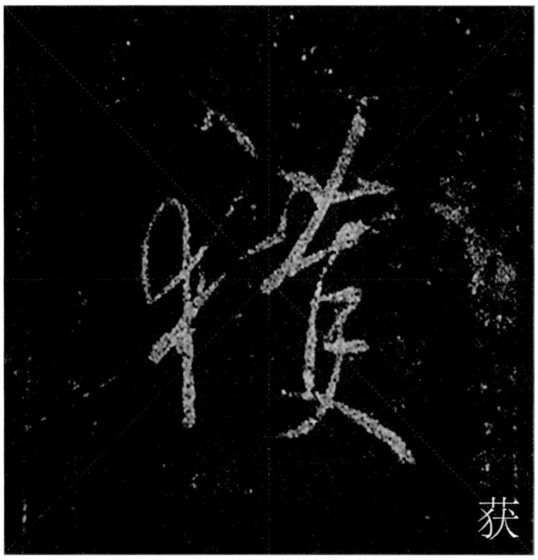
获

数

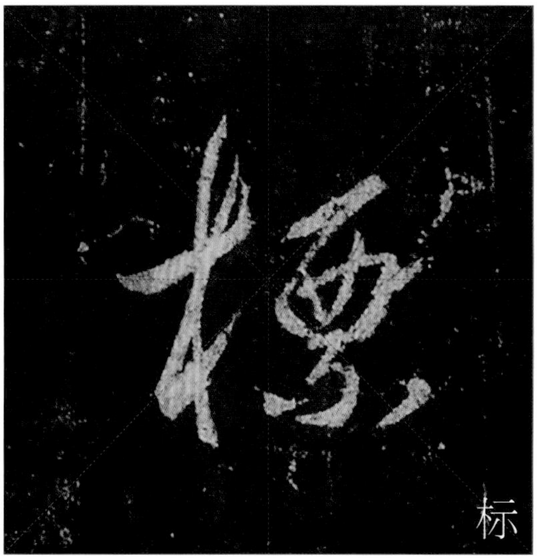
标

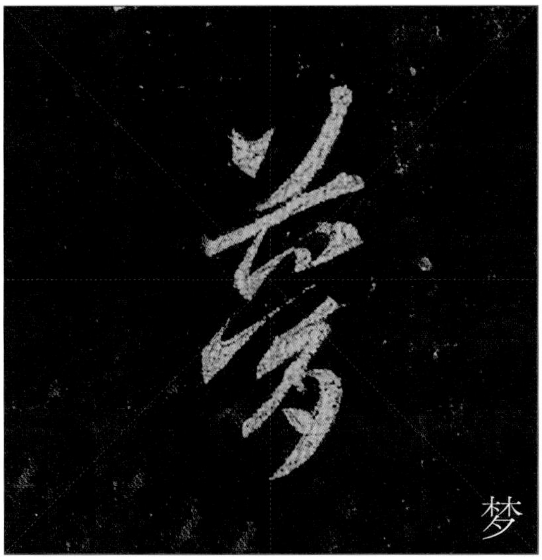
梦

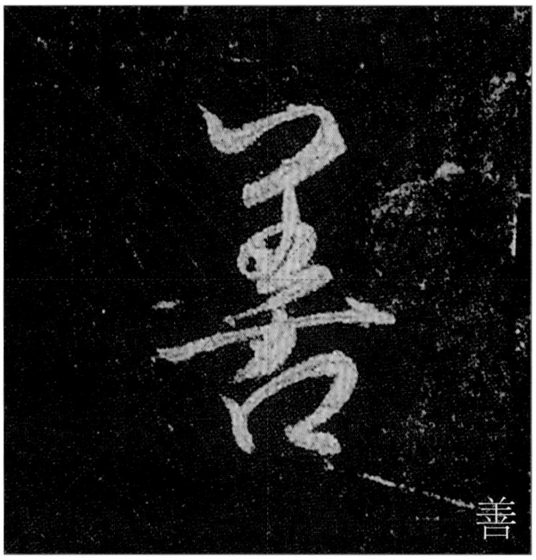
善

虽

然

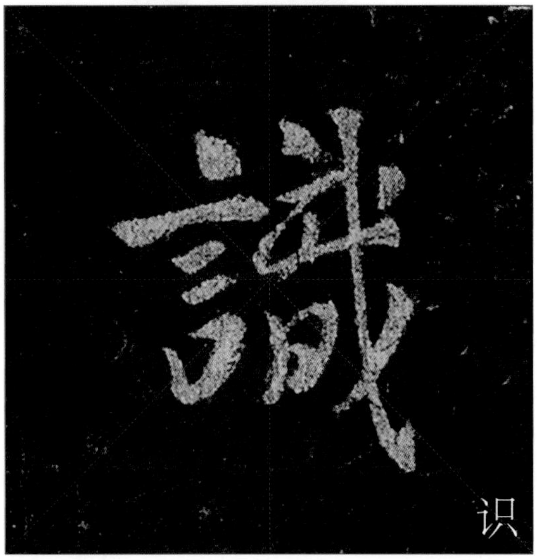
识

感

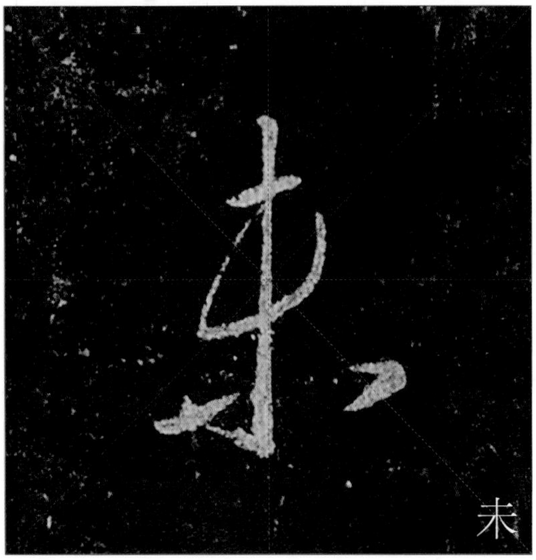
未

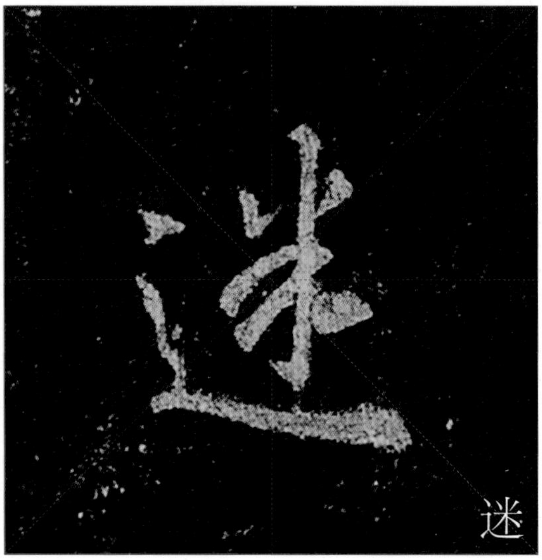
迷